私の八月十五日 3
今語る八月十五日

絵　赤塚不二夫（⇒P44）

8・15朗読・収録プロジェクト実行委員会／編

はじめに

昭和二十年八月十五日。

第二次世界大戦は日本の敗戦で幕を下ろした。
この戦争で日本の主要都市のいくつもが焦土と化し、
数えきれない人命が犠牲となってしまった。

その八月十五日。
私は家族と共に満州の奉天（現在の中国）で暮らしていた。
周囲の大人達の異様とも思える混乱振りに、
子供心にも不安を感じたものの、ついつい外に出て遊びまわり、
母から大目玉を喰らったものだった。

引揚船の発着する港までは、いつ襲撃されるか脅えながらの行進だった。
子供だって泣くことも休むことも許されない。
脱落者を待つのは死だと子供心にもわかって、
必死に母と手をつなぎ皆の後をついていくのだった。

日本の引揚船に乗ったのは奉天を出発後、何日目だったろうか。
幼い私の記憶は、とぎれとぎれで今でははっきりわからない。

日本に帰国後、運良く私は、
あこがれていた漫画家となり、幸せな人生を送って今日に至っている。
漫画家には、どういうわけか引揚げ者が多い。
ちばてつや　赤塚不二夫　山内ジョージ　横山孝雄　古谷三敏
高井研一郎　北見けんいち　上田トシコ　石子順（漫画評論家）　等々、
数えあげればきりが無い。

どの人も戦争の恐しさを身をもって体験している者ばかりである。
思い出話も含めて満州時代を書こうと提案すると、皆賛同してくれた。
それが『中国からの引揚げ　少年たちの記憶』だった。

本の発行が縁となり、次には一ファンにより豪華本の
『私の八月十五日』が出版される運びとなった。
終戦の時、自分はどこで何をしていたかを
絵と文で描くというのがテーマだが、これは賛同者が多く、
百人を超える方々から作品を寄せて頂き、とても感激した。

そして今回は今人舎により、コンパクトで見やすい３冊となって執筆者の声まで入った音筆版が作られる運びとなった。昭和時代の戦争とその結末を見つめ直していただきたい。

『私の八月十五日　①昭和二十年の絵手紙』
『私の八月十五日　②戦後七十年の肉声』
『私の八月十五日　③今語る八月十五日』

森田拳次（「私の八月十五日の会」代表理事）

■『私の八月十五日　③今語る八月十五日』

　「はじめに」を記してくださった森田拳次先生が代表理事をしている「私の八月十五日の会」は、旧満州からの引揚者でのちに漫画家となった森田拳次先生やちばてつや先生、故赤塚不二夫先生たちがよびかけ人となり、結成された会です。漫画家として大成功を収めた先生方が、なぜ戦争が終わって50年以上も経ち、しかも還暦を過ぎた60代の中期になって、このような会を結成したのでしょうか。

　森田拳次先生は、『漫衆少年史「だめ夫伝」』という自伝のなかで、満州時代をしみじみと回想して以下のように書いています。また、『ぼくの満州』や『遙かなる紅い夕陽』といった満州を主題とした自伝的漫画をいくつも発表し、それらには、他の満州育ちの漫画家さんが多く登場しています。

　後でわかったことだが、僕が住んでいた奉天には、『天才バカボン』を描いた赤塚不二夫氏（終戦当時十歳）、漫画評論家の石子順氏（当時十歳）、『あしたのジョー』を描いたちばてつや氏（当時六歳）が住んでいた。奉天駅前には、『ダメおやじ』を描いた古谷三敏氏（当時九歳）の父親の寿司屋があった。当時は、お互いを知ることもなかったが、赤塚氏とちば氏の家が五〇〇メートルぐらいしか離れていなかったことなど、運命的なものを感じる。

　赤塚不二夫先生とちばてつや先生という、戦後日本の漫画界の大スターが子どもの頃、わずか500メートルしか離れていないところにいたというではありませんか。『ダメおやじ』で知られる古谷三敏先生も、すぐ近くに住んでいました。「赤塚さんと自分は、もしかしたらどこかで出会っていたことがあるかもしれないよな、と話し合ったことがあった」と森田先生。こうして「中国引揚げ漫画家の会」がつくられ、続いて「私の八月十五日の会」に発展しました。

　それらが発足してから20年が過ぎたとき、ご縁あって今人舎が、先生方の力作を再編集して『もう10年もすれば … 消えゆく戦争の記憶―漫画家たちの証言』(2014年7月)、『私の八月十五日　①昭和二十年の絵手紙』(2015年3月)、『私の八月十五日　②戦後七十年の肉声』(2015年7月)を発刊し、そして戦後70年の2015年内までに、『私の八月十五日　③今語る八月十五日』を発行する運びになりました。

　ここが重要です。
　今人舎では、『私の八月十五日』シリーズを発行するに当たり、戦後70年の記念出版の意味を込めて、掲載者自身（掲載者が故人の場合は関係者）が掲載文を朗読した肉声を本につけることを計画しました。さらにこの活動の参加者が増えることを願い、多くの作家、画家、学者、有識者の方々に協力をお願いしてきました。
　みなさん、ご快諾。それは私共の予想をはるかに超えることでした。結果、本シリーズには、日本を代表する俳優の故高倉健さん、映画監督の山田洋次さんなど多くの方々が文章と朗読を寄せてくださいました。しかもみなさんの文章には著名な漫画家さんやイラストレーターさんが絵をつけてくださっての発刊となりました。

　今人舎は、掲載者の肉声を収録する活動を「8・15朗読・収録プロジェクト」と名づけています。プロジェクトは実行委員会形式とし、二代林家三平さんを委員長、中嶋舞子（今人舎）を副委員長として、この活動へのさらなる参加者を募り、文章を書いて朗読していただき、絵を描いていただく活動を今も続けています。
　この本を脱稿した直後、作家の瀬戸内寂聴先生と森村誠一先生が、偶然にも同じ日に、FAXを送ってきてくださいました。森村先生の手描きの原稿用紙の最後には「つづく」と記されていました（⇒P45）。
　この日、今人舎は緊急会議を開きました。この活動は、戦後71年、72年……と、できるかぎり続けていこうと話し合ったのです。

　今人舎は、8・15朗読・収録プロジェクト実行委員会が収録した掲載者（または関係者）の肉声を、音筆とよぶIT機器に格納し、本にタッチするだけで再生できるようにしています。そして、その音筆と本を国立国会図書館、日本点字図書館、平和資料館、マンガミュージアムなどへ寄贈する活動をおこなっています。音筆の販売はおこないません。なぜなら、高倉健さんをはじめ、収録に参加してくださった掲載者（または関係者）の全員が、ボランティアで協力してくださったものだからです。

2015年12月吉日

今人舎編集部
8・15朗読・収録プロジェクト実行委員会

もくじ

はじめに 2

八月十五日を13歳以上でむかえた人びと

助かった ▷水木しげる 6

「来るべきものが来た」
　　　　▷横地 清（絵　一峰大二）................... 7

悩んで、なやんで……
　　　　▷宮川ひろ（絵　武田京子）................... 8

八月十五日、九十九里浜で
　　　　▷小松崎進（絵　小森 傑）.................... 9

荒れ地に平和が!! ▷野口 廣（絵　バロン吉元）

暗闇に光が!! ▷野口とも 10

手榴弾投げが原点
　　　　▷杉下 茂（絵　クミタ・リュウ）........... 12

虚ろな銀杏 ▷小島 功 14

火薬を担いでいた中学三年生
　　　　▷小澤俊夫（絵　ウノ・カマキリ）......... 15

15歳で志願兵 ▷浅野重之（絵　ウノ・カマキリ） 16

「8・15朗読・収録プロジェクト」から生まれた
絵本シリーズ 17

復員軍人を一喝！
　　　　▷高橋昌巳（絵　タカハシコウコ）......... 18

私の8月15日 ▷樋口恵子（絵　松村彬夫）........ 19

死ぬ時はせめて満腹に
　　　　▷早乙女勝元（絵　早乙女民）.............. 20

そんなことがあるものか
　　　　▷原 寛（絵　今村洋子）..................... 22

「最初に井戸を掘った九人衆」とは？ 24

八月十五日を6〜12歳でむかえた人びと

落ちたのはどっちだ？
　　　　▷三浦雄一郎（絵　横山孝雄）.............. 26

一葉の写真 ▷黒柳徹子（絵　牧美也子）........... 28

陛下のおかげで
　　　　▷永 六輔（絵　クミタ・リュウ）......... 29

兄が沖縄で戦死して─▷加藤多一 30

母の号泣 ▷神林照道（絵　山根青鬼）.............. 31

戦争はイヤダ！ ▷出川三男 32

私の8・15に想うこと
　　　　▷中島章夫（絵　森本清彦）................. 33

わたしの八月十五日
　　　　▷山下明生（絵　黒田征太郎）.............. 34

下着まで売った母
　　　　▷西牟田耕治（絵　森田拳次）.............. 36

もっとずっとずっと早く来てほしかった八月十五日
　　　　▷望月あきら 38

一ヶ月半前 ▷矢野 徳 39

この本に文章を寄せている人が
八月十五日（終戦の日）をむかえた場所 40

八月十五日を5歳以下でむかえた人びと

戦争のあと味 ▷みつはしちかこ 42

三才五ヶ月、恐怖の記憶 ▷石井いさみ 43

編集後記 44

大きな講堂で ▷稲葉玉紫（絵　花村えい子）.... 46

八月十五日を13歳以上でむかえた人びと

―― 水木しげる

兄は少尉で海軍へ、ぼくは二等兵で陸軍へ、太平洋戦争はいま始まったばかりだった。

助かった

　私は不運にもラバウルの最前線にいた。
　最前線といっても本当の最前線で、鼻くそをなげると敵が口をあけてまってるという感じだったので鼻くそも前の方になげないようにしていた。
　最前線中の最前線というのは毎日とても静かで、鳥の声をききながら起床し一日に一時間、望遠鏡で水平線をながめるといった生活だったが、なにしろ最前線中の最前線だから、常に敵の中にいるような気持だった。
　果せるかな、敵サンがうしろからやってきて、前で望遠鏡ごしに鳥をみていた水木二等兵は一人残され味方は全滅した。
　二、三日かけて一人で逃げ回りやっと味方のいるところにたどりついた。

　それから間もなく八月十五日で、私はその時一言、「助かった」という言葉が腹の底から出てきた。
　これからずっと生きられるんだと思う嬉しさもこみ上げてきた。
　一人で二、三日ニタニタ笑ってばかりいたら、少しおかしくなったと思われたらしく、人が近よらなくなったことがあったが、本当に生きられて、それこそ本当にうれしかった。
　えーと　その時の年令は二十一才か二才だったと思う。
　毎日"生か死か"という気持だったから　そんな気分から解放され、うれしかった。

水木しげる（八月十五日を23歳、
パプアニューギニア・ラバウルで迎えました）

PROFILE：1922（大正11）年生まれ。漫画家。鳥取県境港市で育つ。激戦地ラバウルに出征し、爆撃を受け左腕を失う。復員後紙芝居画家となり、その後漫画家に転向。代表作『ゲゲゲの鬼太郎』『河童の三平』『悪魔くん』など。'91（平成3）年紫綬褒章、2010年文化功労者。

絵　一峰大二

横地　清

「来るべきものが来た」

　終戦の年、私は東京文理科大学の数学科の学生でした。学徒動員により、東京の大久保にあった陸軍の第七研究所で、潜水艦の設計に携わっていました。住まいは、小石川にあった「愛知社」という宿舎。その名の通り、愛知県出身者用の寮です。

　しかし、そのころはすでに空襲もはげしくなっていました。3月10日の東京大空襲では被災を免れたものの、5月25日はついに、愛知社もやられました。焼夷弾で焼きつくされ、熱風が巻き起こる街から、焼けて高熱になったトタン板が寮に降ってきたのです。延焼を防ごうと、みんなで建物を壊すなどするも、到底防ぎきれません。辺りは火の海。なんとか坂の上へ避難しました。電信柱まで燃えているのが脳裏に焼きついています。愛知社辺りはすべて焼け野原。一夜を明かして戻ると、残っていたのは、防火壁がたった3枚だけでした。

　愛知社の西側崖下にあって延焼を免れた学生寮の三河社に間借りしてしばらくいましたが、どうしようもないので、故郷の名古屋へ帰ることにしました。太平洋沿いの東海道は空襲や艦砲射撃により列車が動いていなかったので、私は、中央線で名古屋をめざしました。途中、八王子で列車から降りて用を足そうとしたところ、過って高架下の街路に落ちてしまい、地元の人に助けられ、2日間遅れました。八王子から岡谷の親戚の病院に行き、10日間ほど滞在し、名古屋に着いたのは、8月10日ごろでした。名古屋ももちろん空襲を受けていましたが、自宅は幸い残っていました。

　それから間もなくして、自宅で8月15日の詔勅を聞きました。内容はほとんど聞きとれませんでした。日本の敗戦は、すでに第七研究所でうすうす感じていたので、あらためて驚くこともありませんでした。そもそも日本の生産力を考えれば、戦争が長くないことは、みんな感じていたはずです。

　9月20日、私は東京に戻って卒業式に出席。その場で文部省からの辞令が渡され、京都の第二高等女学校に教師として就職しました。当時の私は、西洋の数学の思想に傾倒し、そういった思想を学生に教えることができるようになったことに、戦後の混乱の中、幸せを感じていました。しかし、GHQに日本の教育がすっかり変えられてしまったことは、非常に残念でした。戦争でやられた上に思想までだめになる！　そう感じて、強く憤りを覚えました。

　　　横地　清（八月十五日を23歳、愛知県名古屋市で迎えました）

PROFILE：1922（大正11）年愛知県生まれ。数学者。'45（昭和20）年東京文理科大学数学科卒業。北京師範大学客員教授、数学教育学会初代会長などをつとめる。代表作に『数学らんぶる』『数学を楽しむ本』など。

宮川ひろ

絵　武田京子

悩んで、なやんで……

　一九四五年八月十五日。この日わたしは集団疎開の学童六十五人に付き添って秋田県仙北郡白岩村（現・仙北市角館町白岩）の雲巌寺におりました。

　一本日正午、重大放送があるので米屋さんのラジオの前に集まるように—との村役場からの通達です。ラジオは米屋さんにしかありませんでした。

　はじめて聞く天皇のお声です。でもラジオはガーガーと雑音ばかりで、おことばはうまく聞きとれません。それでも戦争は負けて終ったということはなんとなくわかりました。

　そのことを子ども達にどのようなことばで伝えたらいいのか……。「日本は必ず勝つ。勝利の日まで頑張ろうね」と励ましつづけてきた毎日だったのですから……。寮長先生を囲んで四人の職員はただ悩んで、翌日の夕方になっても、まだ告げられずにいたのですが……。

　「お寺さんの庫裏では電気が明るくなってるよ。戦争は終ったの」と、子ども達の声です。

　寮長先生は心をきめて子ども達に語りました。

　「この間広島と長崎に新型爆弾が落とされて一瞬の間に大勢の人が亡くなられたことは聞いたよね。もうこれ以上戦争をつづけてはいけないということで終りにしたんだ。勝つ日まではってみんながんばってくれたのにな。かんべんしてくれよな」

　子ども達の前に深く頭を下げて詫びたのでした。これから日本は……。学童疎開はどうなるのか……不安いっぱいなまま、電灯にかけられた黒い遮光幕ははずされたのでした。

　　　　宮川ひろ（八月十五日を22歳、秋田県で迎えました）

PROFILE：1923（大正12）年群馬県生まれ。児童文学者。'69（昭和44）年『るすばん先生』でデビュー。『夜のかげぼうし』で赤い鳥文学賞受賞。受賞作多数。『先生のつうしんぼ』は映画・ドラマ化。

小松崎進

絵　小森　傑

八月十五日、九十九里浜で

　一九四五年（昭和二十年）八月、わたしは十九歳の学生でした。いや、学生ではなく兵隊でした。千葉の九十九里浜で上陸してくる敵兵を迎えうつ訓練を毎日していました。

　八月十五日、農家の広い庭で玉音放送を聞きましたが、何の話か、まったくわかりませんでした。

　わたしは、当時師範学校（現・東京学芸大学）の学生でした。入学前、激化する戦争は勝たねばならない、中学を卒業したら、お国のために兵器工場で働こうと決意し、父にその旨話したところ、父は静かに語り出したのです。

　「うん、それもいい。が、教師になって子どもたちをりっぱに育てることも大事なことだよ。お国のためだよ」

　長い間教師をしてきた父のことばを聞きながら、そうだよな。やはり教師になろう、父のような教師になりたいと、師範学校を受験したのでした。

　軍隊生活中、早く帰りたい。帰って学校へ。そして子どもたちの教師になろう。このことばかり考えていたのです。

　　小松崎進（八月十五日を19歳、千葉県九十九里浜で迎えました）

PROFILE：1925（大正14）年茨城県生まれ。児童文学者・評論家。東京で39年間小学校教師を勤め、国語教育・読書教育に力を入れる。退職後「この本だいすきの会」立ち上げ、以来代表として全国に「読み語り」を広める。

―――― 野口　廣・野口とも

荒れ地に平和が！！

　昭和20年4月、私は旧東北帝国大学理学部に入学しました。受験日の3月10日は東京大空襲の日で、受験を終えて帰京してみると、東京は一面焼け野原、私の家も跡形もありませんでした。
　仙台に戻った私は、大学の図書館を空襲から守る役目を同級生と共に引き受けて学内に寝泊まりしました。そこで私達は短波受信機を使って米軍の発信している放送をこっそりキャッチしました。それによると「日本軍は至るところで惨敗している。早く降伏するように！」というものでした。当時は「日本軍が勝利している」というウソのニュースしか流されていなかったので、一般の人々は皆だまされていたのです。
　八月十五日の玉音放送を聞いた時も、私達は敗戦を知っていたので「これでやっと戦争が終わったか！」とほっとしました。そして大学の図書館を何とか空襲から守れた事を祝って、誰かが手に入れた安いお酒で乾杯した事を覚えています。
　　　野口　廣（八月十五日を20歳、宮城県で迎えました）

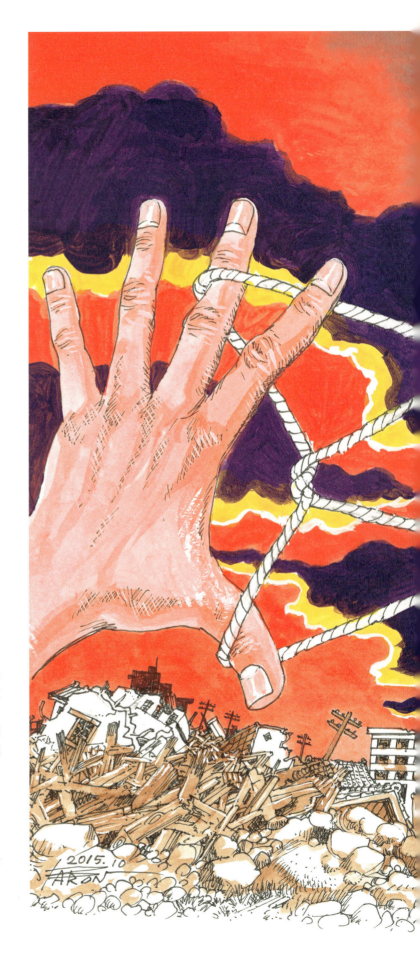

暗闇に光が！！

　終戦の年私は女学校の2年生でした。戦時中は夏休みも勤労奉仕で近隣の農家で田の草取りをさせられていましたが、八月十五日は「天皇陛下の放送がある」ため勤労奉仕は中止となりました。丁度12時に玉音放送が流されましたが、天皇のお言葉は良く聞き取れず内容は全く理解出来ませんでした。でも先生方は泣いていました。後で戦争が終わった事を知りましたが、私にはあまり実感がありませんでした。
　その日家に帰ると、父と母がとても穏やかな笑顔で迎えてくれました。父は、戦争中ずっと敵機から守るために家中に掛けていた黒いカーテンをはずしました。そして夕飯の時に母が、恐る恐る電灯の傘に掛けてあった黒い覆いを取り除くとびっくりするほど家中が明るくなり、その時初めて「ああ、もう空襲は来ないんだ～、戦争が終わったんだ～」という実感が沸いてきて、家族で喜び合いました。戦争は嫌ですね！！
　　　野口とも（八月十五日を14歳、宮城県仙台市で迎えました）

PROFILE：1925（大正14）年東京生まれ。数学者。ミシガン大学留学、イリノイ大学客員教授を経て現在早稲田大学名誉教授、理学博士、国際あやとり協会顧問。'91（平成3）年から2004年まで数学オリンピック財団理事長を務める。著書は学術書の他に『あやとり大全集』など。野口ともは妻。

絵 バロン吉元

―― 杉下　茂

手榴弾投げが原点

　私は、昭和十九年十二月二十五日に十九歳で出兵。十日もたたない一月三日に中国に渡って軍事訓練を受け、四月の終わりには、上海の部隊へ移動しました。まもなく幹部候補生の試験に合格し、南京の予備士官学校へいくことになりました。しかし、戦局はすでに最悪の状態。予備士官学校へいくのに必要な「教練修了証」が内地から届かなかったため、貨物廠での倉庫番を命ぜられました。とてつもなく広い倉庫でしたが、私と同じような者が、五人で番をしました。

　終戦を知ったのは、実は、八月十二日でした。私たちのいた貨物廠に、突然、日本の憲兵がやってきたのです。「日本は負けた。自分は山へ逃げる」と言い、倉庫にあった衣服と食料をトラック一杯に積み込んでいきました。上層部からの「好きなだけ持っていってよろしい」という許可証を持っていたのだから仕方ありません。その日は、隣接する上海のフランス租界でも、蒋介石の大きな写真を掲げて「勝った勝った」と大騒ぎをしていました。中国の使用人たちの態度も、その日のうちに一変しました。その三日後の十五日、玉音放送を聞くことになりましたが、それ自体は、ほとんど聞き取れませんでしたし、私には、ピンときませんでした。

　九月三十日の夜、私たちは部隊本部のある呉淞へ逃げました。そこで十月半ばすぎに武装解除。私は、一度も敵と対峙したこともなければ、鉄砲を撃つこともなく、すみました。

　その後、捕虜生活となりましたが、なぜか食料があって、きちんと食事がとれました。のちに聞かされたさまざまな話と比べ、「たいへん幸せな捕虜生活」でした。野球もやりました。軍事訓練を受けたとき、信管を抜いた手榴弾を投げさせられたのですが、手榴弾は、鉄のかたまり。二十五メートル先のトーチカ＊の銃眼めがけて正確になげるのに、腕の力ではなく、遠心力で放りました。そのことが、帰国後、野球選手としての私の身を救ってくれたと言えるかもしれません。

　まもなく、一年前に中国に渡ったのと同じ一月三日、「飯田桟橋」から船に乗って、佐世保へ引揚げました。日本の引揚げ船ではなく、フィリピンの船でした。その後、東京にたどりつくと、幸い神保町の我が家は焼け残っていました。しかし、食べ物も着る物もなく、悲惨なものでした。そんななかでも私は、大学へ入って野球をやりました。

　　　杉下　茂（八月十五日を19歳、中国上海の部隊で迎えました）
＊鉄筋コンクリート製の防御陣地。

PROFILE：1925（大正14）年東京生まれ。元プロ野球選手。'49（昭和24）年、中日ドラゴンズ入団。「フォークボールの神様」とよばれる。引退後は中日、阪神で監督、巨人でコーチを歴任。'85年野球殿堂入り。

絵 クミタ・リュウ

―― 小島 功

虚ろな銀杏

　焼け出されて厄介になっていた、浅草寺一山の妙徳院の茶の間で、和尚さん一家に混ざって玉音放送を聞いた。八月十五日の正午だった。この日は朝から爆音のない妙に静かな日で、見上げると青空に黒焦げの銀杏の大木が聳えていて、境内もまわりも灰色一色の焼け野原。馬道のロータリーの中に、隣組で蒔いたソバの白い花が困ったように咲いていた。

　こんな虚ろな風景はその後おぼえがない。

　青空の中に、空襲で行方不明になった友人の顔がいくつも浮ぶ。疎開している両親や妹弟、自分をふくめてどうなるのか、いずれアメリカ軍が上陸してくるだろうし、この先は想像もできない。いつかとほとほと言問橋の上にいた。隅田川は両岸の家も工場も焼けて廃水が流れこまないためか、ここ二、三ヶ月で澄みきっていて、川底まで見える。

　川底にころがっている鉄カブトまでも…。

小島　功（八月十五日を17歳、東京浅草で迎えました）

PROFILE：1928（昭和3）年東京生まれ。漫画家。'68年『日本のかあちゃん』と『7-8＝1』で第14回文藝春秋漫画賞受賞。'90（平成2）年紫綬褒章受章。2005年日本漫画家協会名誉会長就任。'15年逝去。

小澤俊夫 ——

絵 ウノ・カマキリ

火薬を担いでいた中学三年生

　東京府立二中の2年生は昭和19年9月から授業を打ち切られ、陸軍第2造兵廠（南多摩）に動員されて、火薬造りをさせられていた。ぼくらは出来上がった火薬を木箱に詰め、火薬庫に収める仕事をさせられた。火薬箱の重さは、初めは30キロ、次に45キロ、次に60キロだった。一人で肩に担いで運ぶのである。20年の4月頃からは九州知覧の特攻機が抱いていく90キロ、110キロの火薬がきた。一人で担げるのはクラスに3人しかいなかった。ぼくはその一人で、夜勤の時にも担いだ。肩はもう鉄板のように固くなり、背骨は常に痛かった。火薬だから絶対に落とすなと厳命されていた。万が一落ちそうになったら、手がつぶれてもいいから、最後まで手を放すなと命令されていた。空襲の時は火薬庫に避難させられた。一発撃ちこまれたら全滅だとみんな覚悟していた。日本の戦闘機が、東京に爆撃に向かうB29に体当たりするのを2回見た。その瞬間、日本とアメリカの飛行兵が死んだのだった。

　ぼくは過労で8月14日に発熱し、15日は立川のうちで寝ていた。正午に「玉音放送」があるというので、家族全員で聞いた。雑音がある上に天皇の発音が明瞭でなく、よくわからなかったが、とにかく戦争をやめるということらしかった。不安はあったが、戦争が終わることにはほっとした。

　だが、放送の直後、立川空軍基地から隼戦闘機が45度の急上昇をしたかと思ったら急旋回して、今度はそのままの角度で基地に突っ込んでいった。そして基地から轟音が響いてきた。敗戦に耐えられなかった若い兵士だったのだろう。

　父はぼくたち四人の息子に言った。「これでいいんだ。日本は明治以来戦争に負けたことがなかった。それで、日本人は涙を忘れてしまった。これで涙を知ることになる」ぼくは、中国で常に中国民衆の側に立って日本軍閥の横暴と闘ってきた父の言葉として、忘れることができない。

　それからは貧しい敗戦国生活だったが、平和憲法にはみんな感動し、喜んだ。その出発点が8月15日だったのだ。それから70年、日本は平和が当たり前という空気に包まれてきた。その虚を突かれて憲法違反の「戦争法案」ができてしまった。だがこれを機に「平和は自分たちの力で守らなければならないのだ」という意識が国中に広まった。「平和国家」復活の戦いはこれから始まる。

小澤俊夫（八月十五日を15歳、東京で迎えました）

PROFILE：1930（昭和5）年旧満州生まれ。口承文芸学者。筑波大学名誉教授。「子どもの本・九条の会」代表団員。'98（平成10）年「小澤昔ばなし研究所」設立。著書に『昔話からのメッセージ　ろばの子』『昔話の語法』など。

――― 浅野重之

絵　ウノ・カマキリ

15歳で志願兵

　尋常小学校高等部を卒業してすぐに志願したぼくは、4月に海軍に入隊。毎日、殴られていた。バットで殴られるのも、日常茶飯事。これに耐えられなければ、戦場には行けないと言われながら。敵が鹿島灘に上陸したら、真っ先に迎え撃つといった訓練を受けていた。日本が戦争で負けるなんて、みじんも思っていなかった。それでも、海軍整備兵だったのにもかかわらず、整備する飛行機がなく、毎日あっちこっちへいっては防空壕を掘っていただけだったのだから、何かおかしいと感じていたが、口になど出せなかった。

　そんななかで、8月15日、玉音放送を聞かされた。土浦の海軍航空隊の中だった。でも、ぼくは最年少だから、後ろのほうで聞いていて、何を言っているのかよく聞こえなかった。ぼくだけではない。放送が終わると、みんなが「何て言ったんだ？」と、聞き合っていた。なかには、「家に帰れる」と言う者もいた。

　ところが、ぼくがいた部隊は、武装解除が終わっていなかったため、また戦闘がはじまるんじゃないかという噂も出ていた。しかし、15日を境にして食べるものがまったくなくなった。進駐軍はまだきていない。だから23日、暴風雨、仲間6人で部隊を「脱走」した。戦争は終わっているのだから、「脱走兵」ではなかった。

　8月15日を、日本では「終戦記念日」と言うけれど、ぼくにとってそれはちがう。

　それは、その日を境にして統制社会からいっぺんに解放されたときだ。自由になったのだ。その意味では「記念日」かもしれないが、「終戦の記念日」ではない。

　8月15日を、茨城県土浦の海軍で迎えました。15歳でした。

　　　　　浅野重之（八月十五日を15歳、茨城県で迎えました）

PROFILE：1930（昭和5）年千葉県生まれ。漢方食養研究家。東天紅料理学苑校長、全日本中国料理調理師協会理事など多数の中華系料理学校や団体に参画。

「8・15朗読・収録プロジェクト」から生まれた絵本シリーズ

- 三月十日の朝　　　　文・最上一平　　絵・花村えい子
- 太一さんの戦争　　　文・丘修三　　　絵・ウノ・カマキリ
- 空にさく戦争の花火　文・高橋秀雄　　絵・森田拳次
- くつの音が　　　　　文・あさのあつこ　絵・古谷三敏

　この絵本シリーズは、「8・15朗読・収録プロジェクト」にご賛同くださった、作家、画家のなかから、今度は絵本で、同じ精神を伝えていこうということになり、戦後70年にあわせ、4冊を刊行する運びとなりました（『くつの音が』は2016年刊行予定）。『私の八月十五日』シリーズは、1945年8月15日という日に焦点を当てて文と絵で時間を切り取りましたが、この絵本シリーズは、戦争、そして8月15日を体験した日本と日本人のようすを、小さな子どもたちにも伝えたいと願ってつくったものです。

　このシリーズの1冊『太一さんの戦争』の一コマは、左ページで浅野重之さんが語った内容と全く同じでした。

高橋昌巳

絵　タカハシコウコ

復員軍人を一喝！

　1944年3月、中学2年生だった私は視覚障害者で鍼灸師の父と一緒に東京の高田馬場から親戚のいる長野県北佐久郡小諸町（現・小諸市）に疎開しました。東京には母ひとりが残り、しばらく家を守っていましたが、翌年5月の空襲で焼けだされ、命からがら小諸に逃げてきました。

　小諸では、上田にある中学校へ汽車で通いましたが、学校にいってもほとんど授業はなく、勤労奉仕で農家の手伝いにかりだされる毎日でした。でも当時、私はそれが当たり前だと思っていて不満は感じませんでした。嫌だったのは、目の見えない父に代わって地域の防空壕掘りに動員されたとき、体の小さかった私は重い「もっこ」を担ぐとヨロヨロしか歩けず、みんなからどやされたり、笑われたり、「疎開、疎開」とはやしたてられたりしたことでした。

　しかし、私たち家族の暮らしはめぐまれていたのです。なぜなら、父が地域の人たちに鍼治療を施し、お礼に米や豆、野菜をもらえ、食べ物にはこまらなかったからです。

　8月15日も、朝から勤労奉仕で農作業をしていました。お昼休みに何か重大な放送があるということで、炎天下、屋外にラジオが設置されました。玉音放送は、何をいっているのか理解できず、私は、大人たちの騒ぎから、なんとなく敗戦を察しました。

　それから中学に通い始めたある日、引きあげてきた上級生の復員軍人が数人中学校にやってきました。私たち生徒を講堂に集めると、「貴様らがたるんでいるから負けたんだ！」と突然怒鳴りちらし、全員に腕立て伏せを命じました。すると、国語の久保田先生が「やめなさい！」と、強い口調で復員軍人を叱ったのです。戦争中は軍人にさからうなどもってのほか。久保田先生の言葉は、心底おどろいたのと同時に、戦争が終わったことをはじめて実感させられたものでした。

高橋昌巳（八月十五日を15歳、長野県で迎えました）

PROFILE：1930（昭和5）年東京生まれ。社会福祉法人桜雲会理事長。'57年日本獣医畜産大学卒業後、聖マリアンナ医科大学助教授、筑波技術短期大学教授などを歴任。同時に桜雲会理事長をつとめ、点字図書の普及につとめる。

樋口恵子

絵　松村彬夫

私の8月15日

　私は13歳。肺結核にかかり、入ったばかりの高等女学校（現在の中学校）を休学して自宅療養中だった。東京だから毎晩の空襲で、夜もおちおち寝ていられなかった。重大放送があるとの報に、わが家のラジオは壊れていてよく聞こえないので、隣家で聞かせてもらった。

　初めて聞く天皇の声は聞き取りにくかったが、この戦争は降伏して終わる、という意味は理解できた。

　帰宅して、その日も和服姿で机に向かっている父（考古学者）に「負けて、終わったみたい」と報告したら、父は振り向きもせず「遅過ぎる」と言った。

　「平和を知らない子ども」として生きた13年間の私の子ども時代はこの日で終わった。ゆっくりと「今後も生きていいのだ」という実感がこみ上げて、心から治りたい、生きたいと思うようになった。

樋口恵子（八月十五日を13歳、東京で迎えました）

PROFILE：1932（昭和7）年東京生まれ。評論家。東京家政大学名誉教授。'99（平成11）年、「女性と仕事の未来館」初代館長就任。代表作に『女の生き方』『私の老い構え』など。

早乙女勝元

死ぬ時はせめて満腹に

　その日その時、私は東京の下町、旧向島区（現・墨田区）寺島町の焼け残りの家にいた。
　両親たちは、天皇の玉音放送なるものを聞きに、ラジオのある隣り組の詰め所へ行った。でも、私は同行しなかった。
　重大放送の内容は、あえて聞くまでもなかったからだ。一億玉砕の時がやってきたのだ、と確信した。ぼくはまだ十三歳。それほど楽しいこともなく、空腹をかかえて、この世を去っていくのだろう。死ぬ時は、せめて満腹にさせてもらいたいが、今となっては、それもかなえられぬ夢である。
　両親が、私を家に残したのは、留守居もあった。誰かがいないと、すぐ空き巣にやられてしまう。鍋も釜も、せんたく物も、玄関先の下駄に至るまで。何度かの空襲で持ち出した物もみな焼いてしまった上に、極端な窮乏生活だった。いや、住居そのものが半焼けで、焼けトタン張りなのだ。
　ほどなくして、母が帰ってきた。「勝っちん、終ったよ」と、いう。
「え、何が？」
「戦争が…。天皇陛下が、たった今、ラジオで…」
「終ったって、どっかで神風が吹いたんか」
「そんなもの。そうじゃなくて、敗けて終ったんだよ」
「天皇陛下が、ほんとに、そういったんか」
「ああ、いったとも。死ななくて、よかったんだよ」
「じゃ、一億玉砕じゃないのか」
「忍びがたきを忍び堪えがたきを堪えて、といったよ」
　とっさに、なあんだ、という気がした。はぐらかされた気がした。戦争は、そんなに簡単に終えられるものだったのか。ラジオ放送一本で。ならば、もう少し前に放送してもらいたかった。せめて東京大空襲の、三月一〇日の前に。
　私は急に気抜けした感じの一方で、わなわなと唇が震え出すのをどうすることもできなかった。

　　早乙女勝元（八月十五日を13歳、東京旧向島区寺島町で迎えました）

PROFILE：1932（昭和7）年東京生まれ。作家。東京大空襲・戦災資料センター館長。'50年『下町の故郷』でデビュー。'70年、「東京大空襲を記録する会」を結成。代表作に『火の瞳』『猫は生きている』など。

絵　早乙女民

―― 原　寛

絵　今村洋子

そんなことがあるものか

　重大放送があるという知らせがありました。福岡市は一面の焼け跡で日陰の場所もなく、天神の西鉄福岡駅に、わずかに屋根のあるところが残っていて、100人ぐらいが集まっていました。
　いわゆる玉音放送が始まりましたが、雑音や音の高低でよく聞き取れません。2歳上の兄が「戦争は終ったらしい。負けたようだ」と言いました。私は13歳で旧制福岡中学に入学したばかり。戦争は勝つと信じていましたから、「そんなことがあるものか」と言ったような気がします。
　自宅は焼け、親戚、先輩、友人の何人かは戦争で命を落とし、最後は1億総玉砕と叫んでいた時代でした。

　敗戦2ヶ月前の20年6月19日夜、福岡市は米空軍のB29爆撃機約60機による油脂焼夷弾360トンの無差別爆撃を受けました。1万2693戸が罹災、全市民の22％に当たる6万599人が焼け出され、902人が死亡、他に行方不明244人、重軽傷者1078人を数えました。
　福岡市上川端町にあった銀行ビルの地下室に避難した同級生は、入り口の電動式シャッターが停電で動かなくなり、吹き込んだ地上の熱風で無残にも窒息死しました。犠牲者は女、子どもが多く全部で63人に達しました。

　現場の銀行ビルは今の博多座のところに建っていました。現在は建て替えられ、歌舞伎や宝塚歌劇の公演でさんざめく娯楽の殿堂に変貌しました。空襲の悲劇を伝える小さな標識とてなく、過去の惨事を覚えている市民は減るばかりです。21世紀に生きる我々日本人は70年前の「戦争の被害」をあまりにも忘れてしまっている気がします。
　　　原　寛（八月十五日を13歳、福岡県で迎えました）

「最初に井戸を掘った漫画家九人衆」とは？

下の小冊子は、前ページの原寛さんが館長を務める能古博物館が発行する「のこ博物館だより」です。その第76号には「最初に井戸を掘った漫画家九人衆」という原館長の言葉がありますが、現在、今人舎が取り組んでいる「8・15朗読・収録プロジェクト」も、もとはと言えば、原館長が「最初に井戸を掘った漫画家九人衆」とよんだ、森田拳次さん、ちばてつやさん、赤塚不二夫さんなど、満州からの引揚経験のある漫画家さんたちがはじめた活動に源がありました。この点、もう一度この本の「はじめに」をお読みください。なお、能古博物館では「私の八月十五日」の文と絵、音声を展示するパネル展がおこなわれました（2015年7月31日～12月20日）。

北見けんいち
（5歳）

上田トシコ
（28歳）

赤塚不二夫
（10歳）

古谷三敏
（9歳）

ちばてつや
（6歳）

髙井研一郎
（8歳）

横山孝雄
（8歳）

山内ジョージ
（5歳）

森田拳次
（6歳）

漫画家にはなぜか引揚者が多い。それに気付いた森田拳次さんの呼びかけで9人の漫画家が集まり、戦後50年の1995年に「中国引揚げ漫画家の会」が結成され、大型画文集の『中国からの引揚げ少年たちの記憶』が世に出た。

毛沢東の逸話から生まれた「水を飲むとき井戸を掘った人を忘れない」という有名なことわざは、日中の解釈に隔たりがあるという説も聞くが、わたしは勝手に森田さんら9人の漫画家を「最初に井戸を掘った漫画家九人衆」と呼んで、その長年の活動に敬意を表している。

福岡・博多湾の「へそ」とよばれる能古島へは、福岡市営渡船で10分。島の丘陵の中腹に能古博物館があります。湾内東方の博多港は、昭和20（1945）年の終戦直後、日本最大級の引揚港として、139万人の日本人引揚者を受け入れました。

現在、長崎県の佐世保港と京都府の舞鶴港には公立の引揚記念館がありますが、博多港にはそれがなく、私設の能古博物館がその役割を果たしています。

八月十五日を6〜12歳でむかえた人びと

三浦雄一郎

落ちたのはどっちだ？

　昭和二十年、私は中学の入学試験で、「お前みたいに体が弱くて軍隊に入れないやつは、中学校に入らんでいい」といわれ、父が2年間副場長をつとめた岩手の山奥の農場で、「中学浪人生活」を送っていました。たいへん横柄な態度で「失格」の印を押されたのは、少なからずショックでした。それでも自分としてはすこぶる元気。「加藤隼戦闘隊」にあこがれて、屋根の上を渡り歩くような軍国少年でした。

　私の父・敬三は、戦前からスキー界や写真界ではよく知られた人物で、宮城県スキー連盟の初代会長を勤め、「八甲田の主」と呼ばれていました。ふだんはものを言わない父でしたが、自分の主張をしっかり持ち、いざとなれば毅然とした態度で発言しました。父の農場は、当時農家の次男・三男を満州へ送り出すための研修施設にされていましたが、農場から帰宅した父はいつも、「どうしてこんな戦争を続けているんだ」と。私は、「そんなこと言っていいのか」とひやひやしていました。

　一度、父は憲兵（秘密警察）に連行されそうになりました。農場が、満州へ行く若者たちを激励のために「藤原歌劇団*1」を招いたときのことです。そこに「どうして敵国の歌を歌っているのか」と大変な剣幕で憲兵が乗り込んできたのです。しかし、北海道大学の交響楽団出身でもある父が、「これは日本の同盟国ドイツ、イタリアの音楽である。鉄砲と鍬しか知らず、見知らぬ地へ旅立つのではあまりにも寂しい。自国のために満州へ行く若者をはげまして何が悪い」と毅然と説いたところ、憲兵はすごすごと退散したそうです。この話を聞いたとき、私は、子ども心にあっぱれだと思いました。

　岩手の山奥は空襲を受けるでもなく、戦況を伝えるのは大本営発表のラジオのみ。それでも、夏が近づくころになると、私にもこれはおかしいと感じられるできごとが続きました。一度は、軍から松の木の根をほれと命令が下ったとき。石油燃料が足らず、松の木の油を燃料にするというのです。「こんなことまでして、どうして戦争を続けるのか」と父が怒る姿を覚えています。八月に入り、釜石が空襲にあった日*2には、農場のすぐ近くで日・米の戦闘機四・五機が空中戦を繰り広げ、一機が火を噴いて山中へ落ちました。大人たちは、敵機が落ちたと大騒ぎでしたが、私と友だち数人は、落ちた飛行機を確かめに行ったのです。山に分け入りようやく現場につくと、すでに憲兵が縄を張って立ち入り禁止にしていました。私たちは、森に隠れて憲兵がいなくなるのを辛抱強く待ちました。そして目にした墜落機。翼に描かれていたのは日の丸。地面にめり込み、無惨に翼だけをさらす飛行機を見たとき、「日本は負けた」。私は、そう感じました。農場の官舎で天皇陛下の玉音放送を聞いたのは、この数日後のことです。雑音だらけのお言葉でも、戦争が終わったことだけはわかりました。「救われた」と思いました。もし父の言う通りなら、このまま戦争を続ければ日本はどうなってしまうか。その思いが強かったからです。

　　　三浦雄一郎（八月十五日を12歳、岩手県六原で迎えました）

*1 1934（昭和9）年、藤原義江が創設した日本最古の国産オペラ団体。

*2 8月9日、釜石市に二度目の空襲・艦砲射撃があった（岩手全土に空襲警報）。

PROFILE：1932（昭和7）年青森県生まれ。プロスキーヤー。冒険家。'85年世界七大陸最高峰スキー滑降完全達成。2003（平成15）年次男（豪太）とともに70歳でエベレスト登頂、75歳2度目、80歳3度目と、エベレスト登頂世界最高年齢記録を3度更新。父・敬三は山岳写真家。

絵　横山孝雄

黒柳徹子

絵　牧美也子

一葉の写真

　昭和二十年の八月十五日。
　私は青森県三戸郡諏訪ノ平という所に疎開していました。そして、三戸駅前のバス停の所で、ラジオを聞きました。セミがミンミンないていたのを憶えています。バス停の所の店屋のラジオをかこんでいた小父さん達は、「どうやら戦争がおわる話だべ」と話していました。（戦争が終わったら東京に帰れる！）とすぐに思いましたが、東京の家は、五月の空襲で焼けた、と風の便りで聞いていました。父は中国に出征したまま、生きているのか、死んだのかも、わかっていませんでした。母は農協につとめていましたが、妹はまだハイハイしているくらいの赤ちゃんでしたし、弟はやっと口がきけるくらいの小さい子でした。私のお誕生日の八月九日の日は、長崎に新型バクダンが落ちたらしいという噂も聞いていました。
　そのころの私の写真です。「可哀そうに、緊張していたんだね」と、この写真を見て言ってくれた、やさしい人がいました。戦争が終わったことは、うれしかったけど、これからどうなるのかわからない不安でいっぱいの七十年前の私です。

　　　黒柳徹子（八月十五日を12歳、青森県三戸郡で迎えました）

PROFILE：1933（昭和8）年東京生まれ。女優。ユニセフ親善大使。'54年ラジオ「ヤン坊ニン坊トン坊」でデビュー。テレビ番組『徹子の部屋』の司会を担当。著書に『窓ぎわのトットちゃん』など。

絵　クミタ・リュウ

陛下のおかげで

8月16日。
　先生は教壇に土下座をして　僕達五年生に頭を下げた。
　前日まで　竹槍の使い方や　切腹の作法を教えてくれていた先生である。
　その先生が土下座したまま　僕達に言った。
「神の国だから負けないといったのは間違えていた。日本は敗けた。
　まもなく陛下が責任をおとりになるだろうが　その日に先生もこの教壇で切腹をして責任をとる」
　その時に子供達は、血まみれになるであろう教壇を考えて切腹の日には掃除当番を増やそうと決めた。
　先生は　その後「陛下のおかげで生命永らえ……」という賀状を下さって　亡くなるまで続いていた。

永　六輔（八月十五日を12歳、東京で迎えました）

―――加藤多一

兄が沖縄で戦死して―

　北海道オホーツク地方の山間部の農民の子。十一歳で敗戦を迎えた。

　「敗戦」を「終戦」と言い、「全滅」を「玉砕」と美化する国家の虚言を見破る力は、当時はまったく持っていなかった。

　北海道東部の村はその日快晴。そのがらんとした明るさが悲しかった。沖縄で戦死させられた次兄の悲報がすでに届いていた。

　うちの家族も村の人も「もっと早く降伏すればよかったのに」という本心は表に出せないでいた。

　兄と共に働いていた農耕馬のアオは、何も知らない・聞きたくもないというような表情で、赤クローバーをばりばりと食っていた。

　危なくなったら戦うよりもまず逃げるという馬の習性。それなのに大陸に送られた北海道の軍（？）馬は何十万頭もいて、中国人への加害の当事者にさせられた。

加藤多一（八月十五日を11歳、北海道で迎えました）

PROFILE：1934（昭和9）年北海道生まれ。童話作家。代表作に絵本『馬を洗って…』『ホシコ―星をもつ馬』など。日本児童文学者協会賞、赤い鳥文学賞など受賞。

絵　山根青鬼

母の号泣

「照道！　すぐに、家の中に入りなさい！」
　灼熱の太陽の光が一杯の真夏の空に響くような母の声。すぐに遊びをやめて家の中に。
　正午の時報。アナウンサーの話。母が、
「さあ、立ちなさい。気をつけをして！」
と言いました。「君が代」の演奏。天皇の話が始まりました。雑音と話の言葉がむずかしく、内容がよくわかりませんでした。
　天皇の話が終わった時、母が号泣。顔一杯に涙が。母は、私と妹を抱きしめ、泣き声で、
「日本は戦争に負けたんだよ。アメリカに降参してしまったんだよ。悲しいね」
　母の号泣は続きます。六歳の妹は、そんな母を見て大声で泣き出しました。
　私は、はじめて、母が泣いている姿を見ました。この2年後に33歳の若さで他界した母の、最初で最後の涙でした。母の目から流れ落ちる涙から、日本は戦争に負けたという想いに満ち満ちました。そして、母の口癖だった「大きくなったらお国の役に立つ立派な軍人さんになるんだよ」が聞けなくなるのだと思いました。次の日、私の学習机の上に飾ってあった山本五十六元帥の肖像写真が片付けられていました。
　一九四五年八月十五日。私は九歳。母の涙をはじめて見たことが、強く心に焼きついた日。今も、母の号泣と終戦が共存しています。

　　　　神林照道（八月十五日を9歳、新潟県柏崎市で迎えました）

PROFILE：1936年（昭和11）年新潟県生まれ。教育者。県内の国公立小学校教諭を経て'77年上京、私立国立学園小学校教頭・校長などを務め2013（平成25）年退職。上京以来39年、甲子園での高校野球観戦を欠かさない。著書に『甲子園教育のすすめ　甲子園球場へ行こう』。

― 出川三男

戦争はイヤダ！

　昭和十九年秋、東京・蒲田区の矢口に住んでいた小学三年の僕は、学童疎開で兄と二人で沼津に行き、お寺の本堂でその冬を過ごしました。その沼津も危なくなった二十年の春には、母の故郷の山形に疎開しました。山形に移ったその一週間後、沼津の街は空襲で全滅しました。

　山形市内の旧家の親戚の家も追い出されて、さらに田舎の、当時は西村山郡「左沢」という地の農家にお世話になりました。母と姉と兄と僕の四人、蔵の土間にむしろを敷いての生活で、毎朝「がっこさあいばっしょ」と地元の子ども達が迎えに来てくれました。

　八月十五日は、農家のスイカの収穫を手伝いに行って、そこでラジオを聞き敗戦を知りましたが、何故そこにラジオがあったのかは、いまだに謎です。

　実は、母は僕ら子ども達に「日本はこの戦争に負ける」とひそかに言っていたのです。そんなことが一寸でも漏れればすぐに連行される怖い時代でしたが、子ども達には本当のことを教えたかったのでしょう。だから、あの真夏の暑い日「戦争に負けた」と聞いても、やはり母の言ったとおりだな、とそれほど驚かなかったのです。

　母が山形の冬の厳しさを知っていましたので、その年の初雪を見て東京の焼け跡に戻り、一家揃ってバラック生活を始めました。

　ともかく「空腹」の一言に尽きる毎日で、毎晩布団の中で食べ物のことばかり考えていました。

　沼津から山形に移る途中、暫く東京に滞在した時の空襲の恐ろしさは生涯忘れられません。夜、火の手があがり逃げようとすると、次々と周りに火が回り、なかなか容易には逃げられません。これは後で知ったのですが、米軍は、標的を外側から囲むようにして焼夷弾をバラ撒き、最後の仕上げに真ん中に直撃弾を落とす、という戦術を採っていたようです。正に虐殺です。

　今、日本は愚かにも憲法を改正してまで戦争を正当化し、戦争に参加しようとしています。戦争は止めようと叫び続けよう！

　何があろうと、戦争はイヤダ！

　　　　　　出川三男（八月十五日を9歳、山形県左沢で迎えました）

PROFILE：1936（昭和11）年東京生まれ。美術監督。'59年、多摩美術大学卒業後、松竹大船撮影所美術に入社。'96（平成8）年定年退職後フリーに。美術をつとめた映画は『男はつらいよ』シリーズ、『幸福の黄色いハンカチ』『母と暮らせば』など多数。『たそがれ清兵衛』などで日本アカデミー賞受賞。

絵　森本清彦

私の8・15に想うこと

　私は終戦の日を、大阪府の北の端、豊能郡歌垣村というところで迎えた。当時、大阪市の福島警察署長をしていた親父は、母親と兄と私の3人を「丹波の山奥」と呼んでいたところへ疎開させていたのだ。そこは、兵庫県と京都府に挟まれた部分へ突き出した大阪府の一番北の端で、大きな農家の庭の離れに二間ばかりの建物を借りて、3人で住んでいた。当時私は9歳、国民学校の4年生であった。その家にはもう一人、日本陸軍の憲兵大尉が下宿していた。確かなことではないが、「憲兵」という兵隊は、一般の兵隊の取り締まりをおこなう役目。一般の兵隊より実質2階級ほど上に位置づけられると、私は考えていた。

　8月15日は、私はその「憲兵大尉殿」と一緒に、近くの溜池へ魚を釣りに出かけていた。天皇陛下の玉音放送は、「大尉殿」が持っていたポケットラジオを通じて聞くことになった。警察にいた親父を通じて、広島に原子爆弾というものすごいものが落とされて、我が国が最悪の状態になっていたことは、私の耳にも入っていた。そのため玉音放送で、天皇陛下が戦争の負け戦を宣言されたらしいと知っても、子ども心に、張りつめていた気持ちがスッと楽になったみたいだった。しかし、国家への忠誠心が強いはずの、その「大尉殿」が激昂するでもなく、淡たんと放送を聞き終えたのが、私はとても印象的であった。それにしても戦争が終わったことによる安堵感は、何物にも代えがたいものである。戦後70年を経て今日も私の心に刻まれている平和への想いは、このときに焼き付けられたものに違いない。

　大阪市の各警察署長は、戦時中韓国人を牢につないで虐待したとかの罪で戦後東京の巣鴨拘置所に拘留され、その期間が1年近くに及んだ。父もその一人だった。母と兄と私が、たいへん心細い思いで待ち続けたことは言うまでもない。約1年後、「証拠不十分」とかで、全員が釈放され、親父も大阪へ戻ってきて、私たちの戦後がはじまったのである。

中島章夫（八月十五日を9歳、大阪府で迎えました）

PROFILE：1936（昭和11）年大阪府生まれ。国際教育交流馬場財団理事長。'61年文部科学省に入省。'88年に退官。'93（平成5）年衆議院議員、2003年に参議院議員各一期をつとめる。おもな著書に『アメリカの教育改革』『教育大国"日本丸"は何処へ』など多数。

───── 山下明生

絵　黒田征太郎

PROFILE：1937（昭和12）年東京生まれ。児童文学作家。翻訳家。'83年『まつげの海のひこうせん』で絵本にっぽん大賞、2004（平成16）年紫綬褒章受章など受賞（章）多数。翻訳作品に『バーバパパ』シリーズなど。

わたしの八月十五日

　昭和二十年八月十五日、瀬戸内海の島のイリコ干場はきれいに掃き清められ、中央の椅子の上に、ラジオがぽつんと置かれていた。そのラジオを取り囲んで、地域の大人たちが、地べたに正座でかしこまっている。
　母に連れられてきた八歳のぼくも、大人たちに混じって坐っていた。これから、天皇陛下さまの放送があるというので。
　放送が始まったが、電波の調子が悪いのかラジオがボロなのか、雑音だらけでよく聞き取れない。それでも、大人たちにはわかったらしく、短い放送が終わるころには、地べたに突っ伏して泣き出すものもいた。
　「日本が負けて、降伏したんだよ」と、母が教えてくれた。キツネにつままれたような気分だった。敵を本土におびきよせ、神風を吹かせて全滅させるのではなかったか。
　せっかく作った竹槍は、どうしてくれる？
　お国のために捧げるはずのこの命は、どうなるのだ！　ひどく裏切られた気分で、軍国少年のぼくは、九日前にキノコ雲の立ち上った広島あたりの空をにらみつけた。

　山下明生（八月十五日を8歳、広島県能美島で迎えました）

――― 西牟田耕治

下着まで売った母

　1945年8月15日の昼過ぎ、小学校3年生の私は旧満州の東北部、朝鮮半島に近い通化省・二道江の小学校で敗戦を知った。若い男性教師が泣きながら教壇に仁王立ちして、「日本は戦争に負けたぞ。お前たち男はアメリカ人の奴隷にされ、女は妾にされる」とわめくのを、ただ眺めていた。

　通化省は朝鮮半島を守るべく関東軍が対ソ連の抵抗線を敷いた要地で、満州国皇帝溥儀の仮宮殿が設けられていたが、全ては瓦解した。兵士はシベリアに連行され、広大な大陸には開拓民ら数十万人の日本人が取り残された。

　だが、6日前のソ連参戦をいち早くキャッチした高級軍人とその家族、満鉄など大企業の社員、家族の多くは、「最後の列車」に乗って密かに脱出し、朝鮮半島経由でいち早く帰国したと、後年になって知った。

　敗戦時、我が家は母子家庭状態だった。31歳の母と8歳の私、6歳の次男、3歳の三男、生後8ヶ月の妹の5人。実は敗戦数ヶ月前まで中国の上海で会社員の父と共に安穏に暮らしていたのだが、硫黄島が陥落し戦況が一段と悪化した5月末頃、父は鉱業所幹部の義兄を頼って家族を二道江に疎開させたのだった。

　敗戦で父からの仕送りが途絶えたので、母は「最中」を手作りし、私が町に売りに出た。八路軍（現在の人民解放軍）の野戦病院が一番のお得意先で、10代半ばの若い兵士がよく買ってくれた。最中を並べた岡持ちを母の帯ヒモで首に吊った姿が、彼らの同情を誘ったのだろうか。

　満州の冬は早くて厳しい。伯父宅の温水暖房が使えなくなり、越冬するにはストーブにくべる大量の薪が必要になった。関東軍が遺棄した電信柱を3歳年上の従兄と鋸で挽いては手斧で割って深夜の寒さに備えた。

　翌年の2月、いわゆる通化事件が起こった。山中に潜んでいた関東軍の残党が八路軍を襲撃したとされる事件。内通した疑いで16歳以上の日本人男子は全員逮捕され、処刑などによる犠牲者は2千人に上ったという。私は事件の詳細を知らないが、首を太い針金で数珠繋ぎにされ、降り積もる雪の中を後ろ手に縛られて連行された伯父たちの姿は目に焼きついている。幸いにも伯父は数ヵ月後に釈放された。

　9月に待望の引揚げが始まり、コロ島を経由して博多港に帰国した。約1ヶ月間の道中は無蓋貨車に乗るか徒歩。国共内戦で鉄路が寸断された区間は懸命に歩いた。食糧は乏しく伝染病が蔓延して毎日のように死者が出た。母は着ている下着まで売って食べ物を求め我が子4人の命を守り抜いた。

　35年前に母は65歳で亡くなった。生前、中国旅行に誘ってもいい顔をしなかった。彼の地で余程つらい思いをしたのだろう。しかし自ら語ることはなかった。

　　　　西牟田耕治（八月十五日を8歳、中国旧満州通化で迎えました）

PROFILE：1937（昭和12）年旧満州・北安生まれ。公益財団法人亀陽文庫能古博物館常務理事・副館長。早稲田大学卒業後、朝日新聞に入社。記者として活躍。その後長崎文化放送役員、福岡家裁調停委員などを歴任。おもな著書に『緒方龍ありて「浜の町病院」生い立ちの姿かたち』など。

絵　森田拳次

――― 望月あきら

もっとずっとずっと早く来てほしかった八月十五日

　終戦の年、私は小学二年生でした。あの日はよく晴れて（と思います）暑く、近所の友達と近くの川に水あびに行って遊び疲れて帰ってくると、なぜか隣り近所の雰囲気に何時もと違いを感じたんです。なんというか…辺りがシ～～ンと静まったような…大人たちが不安そうに小さく固まりボソボソとささやきあい、そそくさと家の中に入っていくのです。それがなんであるか子供の私にはまったく分らず、家に入って母を見るとやはり同じようにだまって大根（カボチャだったかも）を包丁で切っていました。
　それが戦争が終わったんだということを知ったのは二、三日経ってからのことでした。

　当時私は静岡県の吉原（現・富士市）という田舎町に住んでいました。近くに日産自動車の工場があり、そこで軍用飛行機の部品を製造しているとかで、アメリカの戦闘機の攻撃を何回かうけました。その度に戦闘機の爆音と工場が破壊される音と地震のような揺れにふるえたことか…町中に空襲警報が鳴ると、家族みんなで押入れの上段にあるったけのふとんや板切れをつめて、自分たちは下の段に固まって小さくなってふるえていました。
　機銃掃射の流れ弾がボロ長屋のトタン屋根を貫通して畳や押入れのふとんの中にめり込んだ時のおそろしさは今も忘れることはできません。
　戦争はゼッタイいけません！！

　　　望月あきら（八月十五日を8歳、静岡県で迎えました）

PROFILE：渋谷正昭　1937（昭和12）年静岡県生まれ。漫画家。'57年『黎明活殺剣』でデビュー。少女向けの作品を描く。代表作に『サインはＶ！』『東京っ子』『ローティーンブルース』『ゆうひが丘の総理大臣』など。

昭和二十年八月十五日
本当は何をして
いたのか想い出せ
ない。

たぶん、久万川で
釣りをしていた様な
気がする。

一ヶ月半前

　昭和二十年七月四日。高知市本町上一丁目十三番地。私は七歳で小学生になったばかりだった。寝苦しい夜だった。遠くでドーンドーンとにぶい音が今夜もしている。その音がどんどん近づき地響きもする様になった、と思った瞬間、裏庭にもの凄い炸裂音と共に閃光が走り、体が跳ね上っていた。何が起きたのか判らなかった。気がつくと七歳年長の兄について外に出ていた。

　真昼の様に明るく町中が炎の海だった。その中を人々が叫び声をあげて逃げまどっていた。直撃弾を受けて即死した人々や、火だるまになって転げ回る人々の上にもバラバラと焼夷弾が降り、火のかたまりを撒き散らす。それがベタッと張りついてバッと燃え上るのだ。

　兄は巧みに火をさけ乍ら、私を連れて逃げまどい何とか広々とした鏡川沿いにたどりついた。幅が五十米近い清流が炎の川と化していた。橋も火の橋だった。砲撃音の中で、放心したまま空を見ていた。黒い空からまるで花火の様に放射状に拡がり落ちて来る焼夷弾をキレイだなァと思い乍ら見続けていた。

　あたりが静かになり、我にかえると朝になっていた。我が家にひき返すと、寝巻が焼けこげた半裸の父がいた。幸い祖父母、母、弟と二人の妹も生きていた。

　焼けこげた遺体を並べ、町内の人々が確認している。僧侶の父が読経し、私は「死に水」をやる役をさせられた。水でしめした綿を口に当てると、突然、ギョロリと目玉が動いて私を見たりする。遺体といっても黒こげのまま手だけがピクピクと動いたりするのだ。

　もの言いたそうな人もいた。不思議なことに私は恐怖心や悲しみを感じなかった。それらがおそって来たのは数年もしてからだった。繰り返しその時の光景が現れ、夢にも現れるのだ。今も。

　それから約一ヶ月半後、玉音放送があったが、私は聴いていない。たぶん久万川（現江ノ口川）でヤデ（手長エビ）やフナを釣ったりしていた様に思う。

　矢野　徳（八月十五日を7歳、高知県高知市で迎えました）

PROFILE：矢野徳明　1938（昭和13）年高知県生まれ。漫画家。高校時代にコウチマンガクラブに入り、各紙誌に投稿。高卒と同時に上京、プロデビュー。ヒトコマ、4コマ、コミック、さし絵、イラスト、油彩、墨彩、エッセイなど制作。第3回日本漫画家協会賞大賞、第1回中日マンガ大賞グランプリなど受賞。

この本に文章を寄せている人が八月十五日（終戦の日）をむかえた場所

※読みにくい地名には、当時の慣用的な読み方、あるいは中国での読み方でルビをふっています。
※「満州」という呼び方や「奉天」などという都市名は現在ありませんが、本書では当時の状況を身近に再現するため、そのまま用いています。

八月十五日を5歳以下でむかえた人びと

戦争のあと味

　終戦日の記憶は全く無い。
　けれども、戦争中に福島に疎開していた時の記憶は、ぼんやりといくつか浮かび上がってくる。その中で、自分の気持ちまで思い出せる場面がある。
　疎開先の小母さんの前に座らされ、母に頭を押さえられている私がいる。小母さんの後ろにその家の男の子がいて、私を指差して、「イモを盗って食ってた」と言いつのっている。私はいつも空腹だったから、家主のガラス戸棚にしまってあるフカシイモを、物欲しそうに見ていたかも知れない。が、絶対、他所の家のものを盗ったりはしない。私が「食べてない」と言いはっても、母は小母さんに謝っている。その上、私の頭を押さえて一緒に謝らせようとしている。私は精一杯体をつっぱって、頭を下げまいとしている。泣いてもいない。
　幼いながら、頭を押さえている母の手の甘さに、なんとなく、私たち家族の立場と、母の気持ちを、読み取っていたような気がする。
　私にとって戦争は、空腹の記憶である。とりわけ記憶がはっきりしてきた戦後は、食べものの思い出ばかりが強烈である。
　給食の灰色のミルクの飲みにくかったこと。コッペパンの皮のおいしさ。
　外米のなんともいやな匂い。鼻をつまんでゴハンを食べた。外米に混ざっている小石やゴミを選別するのが私の役目だった。生卵はご馳走で、お醤油をいっぱいかけてゴハンを何杯もおかわりしていた。なので、卵がなくてもゴハンにお醤油をかければ、卵かけごはんの味がした。
　たまにお金を貰えて買うことが出来た紙芝居の水アメ。ツバを呑みこみながら、透明な水アメが白銀色になるまでこねて、ゆっくり舐めた。水アメの最後は木の棒の味。木の味といえば、これ又たまに買ってもらうアイスキャンデーも、割り箸の味がした。アイスがなくなってもしばらく棒をチューチュー吸っていたから。
　道ばたに生えているスベリヒユという雑草まで摘んで、おしたしにして食べていた。
　あれは、日なたと泥の味がしたような…。

　　　みつはしちかこ（八月十五日を4歳、東京で迎えました）

石井いさみ

三才五ヶ月、恐怖の記憶

　太平洋戦争はハワイ真珠湾奇襲攻撃で始まった。

　昭和十六年十二月八日、この開戦の日に、東京・蒲田（現・大田区西蒲田）御園一丁目で、私は生まれました。巳年生まれの勇気ある男の子にと、「勇巳」と名づけられました。

　蒲田という所は、地名に池上、蓮沼などと残るように、田や池や沼の多い土地柄で、昭和二十年三月十日の東京大空襲など、十数回の空襲を受けました。同年四月十五日夜、B29約二〇〇機が少数編隊を組んで都心上空より侵入、目黒・麻布・世田谷・大森・蒲田一帯に、五〇〇mの低空から油脂焼夷弾と爆弾を混投するという、波状攻撃がありました。その日、私の家族は、母が姉や幼い弟を連れて埼玉に疎開していたので、父と伯父と兄、そして私、この四人が残って蒲田の家を守っていました。

　この時の空襲は、北風にあおられて炎が広がり、勢いは増してゆき、父たちがリヤカーにフトンなどを積みこみ逃げる用意をしていると、近所の老夫婦が、迫りくる炎を、道路脇の蓋のある大きなドブの中で遣り過すと、荷物を背負って入りこんでしまったのか、何度声をかけても出てきません。その時、わが家に火が燃え移りました。父が「家が燃える。見納めだぞ、よく見ておけっ！！」と叫びました。リヤカーの上にしがみつき、炎の中を逃げた恐怖の時間が焼きつきました！！

　私はこの時三才五ヶ月、炎と黒煙と探海燈の夜空を、ハラを赤く光らせていたB29の姿を、はっきり覚えているのです。ドブの中を逃げ場とした人は亡くなった、とあとで聞かされました…。

　八月十五日終戦の日のことは、埼玉の疎開先で迎えたのですが、まるで記憶にありません。

　ただ！　ただ！　空襲の恐怖の記憶しかないのです。

石井いさみ（八月十五日を3歳、埼玉県で迎えました）

PROFILE：1941（昭和16）年東京生まれ。漫画家。高校在学中の'57年『たけうま兄弟』でデビュー。代表作『750ライダー』は'75年から9年間連載を続けた。

編集後記

- **8・15朗読・収録プロジェクト実行委員会にとって、うれしかったこと**
- 『私の八月十五日』①の編集後記の最後に「8・15朗読・収録プロジェクト」について「書籍販売のプロモーションだと誤解する人が少しいらっしゃる」と記し、②でも、「書籍販売のプロモーションだと誤解する人がまだいる」と記した。ところが、最近になって、そうした声がまったく聞かれなくなった。
- これだけ多くの人の声の収録は本当に大変でしょうなどとおっしゃってくださり、プロジェクトの実際の労力について、評価してくださる方が増えてきた。
- 「8・15朗読・収録プロジェクト」のことが、すでにご協力くださった方からそのお知り合いの方へというふうに広まり、協力の輪がどんどん広がっている。瀬戸内寂聴先生と森村誠一先生は、花村えい子先生のご紹介。
- 収録を開始した当初より、ほとんどの方が快く朗読を引き受けてくださり、新たにプロジェクトへのご協力をお願いした方々のほとんどがご快諾くださった。
- 2015年北京ブックフェアに『私の八月十五日』①②を出品したところ、いくつもの中国の出版社の多くの編集者が注目。彼らは、先の大戦で被害を受けた人が、中国ばかりでなく、加害側の日本にも非常に多くいたことに驚いたようす。いくつかの中国の出版社が、中国語に訳して中国国内で発行することを検討している。
- ②で絵をお描きくださった方が、③でも新たに文章を寄せてくださった方の絵を描いてくださった。次の方が、③で新たに絵を描きおろしてくださった。
　今村洋子　ウノ・カマキリ　一峰大二　クミタ・リュウ
　黒田征太郎　小森傑　タカハシコウコ　武田京子
　花村えい子　バロン吉元　松村彬夫　森田拳次
　森本清彦　山根青鬼　横山孝雄
　　　（敬称略・50音順・プロフィールは最終ページ参照）
　※早乙女民先生（⇒P20）、牧美也子先生（⇒P28）の絵は、書籍への掲載は今回がはじめてですが、過去に発表済のものです。
- 他界された赤塚不二夫先生（②に掲載）に代わって朗読をしてくださったお嬢様の赤塚りえ子さんが、2015年に文庫化されたご著書の『バカボンのパパよりバカなパパ』（幻冬舎文庫）のあとがきに、朗読について、次のように記してくださった。

　この文章（編集部註：赤塚不二夫先生の文章）は、戦後七〇年の今年、『私の八月十五日②戦後七十年の肉声』（今人舎）に再録されている。同書は一般販売される他、平和学習の教材として役立ててもらえるように各地域の学校・図書館・資料館などに寄贈され、そこに置かれるものには「音筆」というペン型のIT機器が付き、それを本の紙面にあてるとエッセイの朗読が音声で聞こえる。

　存命の場合は本人が、故人の場合はその遺族が朗読する。私は赤塚不二夫の遺族代表として『赤い空とカラス』を朗読することになった。

　録音する日の数日前から朗読の練習をした。終末感に襲われるほどの光景の中にたたずむ一〇歳の赤塚少年に近づこうと、何度も何度も声に出して読んだ。すると、以前は素通りしていった父の言葉が心にしみ込んできた。なんとなく自分の目と文字の間に赤と黒の世界がみえたような気がした。

- 「8・15朗読・収録プロジェクト」は、戦後70年だけでなく、長く続けてほしい、続けるべきだとの声が多く寄せられた結果、本書「はじめに」（⇒P3）に記したとおり、戦後71年版、72年版……というように続けていくことを決定することができた。

- **8・15朗読・収録プロジェクト実行委員会にとって、残念だったこと**
- 「8・15朗読・収録プロジェクト」はいくつものテレビ番組となって放送された。ところが、なかには番組編成の都合で「8・15朗読・収録プロジェクト」本来の主旨を伝えてくださらないことがあった。それにより、8・15朗読・収録プロジェクト実行委員会があたかも「井戸を掘った人」（⇒P24）を、忘れたかのような印象を与えることとなってしまった。
- ご病気を含めたさまざまなご事情から、朗読ができない方がいらっしゃる。そうした場合、録音なしの参加となってしまわざるを得なかった（それでも、ご参加くださったことに感謝）。

● 8・15朗読・収録プロジェクト実行委員会の今後の方向性

今人舎では、次のふたつの方向性を決定しました。

◎ひとつの方向性

下記は、作家の森村誠一先生が本書の校了直前にお送りくださった文章です。末尾に「つづく」の文字が見える右上の原稿は、戦後71年版、72年版……と続けることを具体的に検討していたときに今人舎に届きました。結果、森村誠一先生の原稿14枚は、戦後71年版に収録して、2016年の夏に発行することにしました。

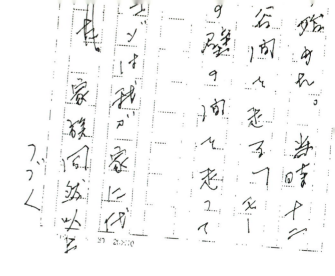

　昭和二十（一九四五）年八月十四日午後十一時ごろ、父に枕を蹴とばされて私は目が覚めた。周囲は白昼のように明るかった。
「起きろ！　空襲だ」
　父の声に、毎日の空襲警報に着の身着のままで寝ていた家族六人は、父に先導されて家の近くを流れる星川という小さな川へ避難した。
　火から水を連想した市民が、続々と星川へ集まって来た。敏感な父は、
「ここは危ない。堤外（郊外）へ逃げろ！」と叫んだ。
「逃げろったって周りは火の海だよ」
と父に叫び返した私に、「道の真ん中を走れ。まだ間に合う」
と父は先頭に立って走り始めた。当時十二歳、本の好きな私は、海の谷間を走る「モーゼの十戒」を連想した。火の壁の間を走っていると、妹が、
「コゾがいない」
と言った。コゾは我が家に代々住みついた猫の二代目で、家族同然以上の存在であった。（つづく）

◎もうひとつの方向性

②の最後には、次のように記しました。

「本プロジェクトでは、今後③④……と続刊を出していきたいと望んでいる。この延長線上には、一般の人にまで広げていければ、それは、すばらしい活動になるはずだと考える。しかし、当面、より多くの人に戦争の記憶を語りついでいくためには、著名人に文・絵・朗読をお願いすることになるのは仕方ないことだと考える」

8・15朗読・収録プロジェクト実行委員会の副委員長の中嶋舞子が、祖母と一緒にNHKの『八月十五日、私は～著名人が語る戦争～』という番組を見ていたときのことです。中嶋の祖母がぼそっと「私は、大日本印刷のなかで聞いたのよ」と語ったそうです。中嶋が祖母から戦争の話を聞くのは、そのときがはじめてだったといいます。それがきっかけとなって、中嶋は祖母にもプロジェクトに参加してもらうことにしました。中嶋の祖母は、本シリーズに登場してくださったその他の方々のように著名ではありません。でも、前掲の「この延長線上には、一般の人にまで広げていければ、それは、すばらしい活動になるはず」という方向性と一致します。中嶋は、花村えい子先生に相談。その結果、花村先生に、次ページの絵を描いていただいたのです。今後は、②で考えはじめ、③で実現しはじめたように、より広い範囲の参加者を募っていこうと考えています。

　今後、もし学校の先生などが子どもたちに呼びかけてくだされば、この活動が加速度をつけて広がるのではないかと、8・15朗読・収録プロジェクト実行委員会では密かに期待しています。今の子どもたちの年齢では、祖父母ではなく、曽祖父母の世代でなければ戦争を覚えていないでしょう。ならば、学校から地域に出て、お年寄りのお話を聞いて、文章化するということも、あり得るのではないでしょうか。

　これが、8・15朗読・収録プロジェクト実行委員会の標榜するもうひとつの方向性です。

　　　　　　　　　　　　　　今人舎編集部
　　　　　　　　　8・15朗読・収録プロジェクト実行委員会

稲葉玉紫

大きな講堂で

　昭和二十年、当時十七歳の女学生だった私は、学徒動員され、市ヶ谷の大日本印刷で働いていました。大本営のすぐそばです。工場では、「ちょびけん*」と呼ばれていたお札をつくっていました。体が小さい私は、大きな輪転機と並ぶと、いっそう小さく見えたらしく、時々見回りにくるお偉いさんから、「あの小さな子は大丈夫なのか？」などと心配されていました。

　八月十五日、私たちは先生のご指示で講堂に集まりました。広くて立派な大講堂は、私たち女学生と、同じように学徒動員で来ていた都立中学の男子生徒たちが大勢入ってもまだ広く、がらんとしていました。

　はじまった玉音放送は雑音だらけで、「これがあの天皇様のお声なの……？」などと不思議に思っているうちに終わってしまいました。ところが、それに続けて「戦争が終わりました」という声が聞こえてきました。私は、正座で頭をたれていましたので、誰がおっしゃったのかはわかりません。

　それでも、なぜか泣いてしまいました。わけもわからず、おいおいと声を上げて泣きました。ほかの女学生たちも、男子生徒も泣いていました。男子生徒は、兵隊に行った学友のことを思って泣いていたのでしょうか。

　私はぼーっとした子どもでしたから、あの日のことで覚えているのは、大きな講堂のがらんとした雰囲気の中の大勢の泣き声、そして空虚感だけです。

　　　　　稲葉玉紫（八月十五日を17歳、東京、
　　　　　　　　市ヶ谷の大日本印刷で迎えました）

＊儲備券。中国新政府による中央儲備銀行発行のお金。

絵　花村えい子

PROFILE：1928（昭和3）年東京生まれ。書家。日本書道美術院審査会員・毎日書道展審査会員。87歳の現在もNHK学園、朝日カルチャーセンターで書道講座の講師を務める。

■編／8・15朗読・収録プロジェクト実行委員会
森田拳次が代表理事をつとめる「私の八月十五日の会」に敬意を払いながら、同会の参加者を含め、より多くの方々に対し、自らの文章の朗読を依頼、肉声の収録をおこなっている会。実行委員長・二代 林家三平、副委員長・中嶋舞子（今人舎）など、若い世代が活動の中心をになっている。名誉委員には海老名香葉子、ちばてつや、森田拳次が参加している。

■原書
『私の八月十五日〜昭和二十年の絵手紙』
（私の八月十五日の会・編　（株）ミナトレナトス・刊　2004年）

※本書には、今日的見地から判断すれば不適当と思われる表現が使用されている場合もありますが、本書の性格上〝時代性〟を重視する編集方針をとらせて頂きました。趣旨をおくみとりくださり、お読み頂けますようお願いいたします。

■この本に新たに絵を描きおろしてくださった漫画家・イラストレーターの方々

今村洋子（22ページ）：1935年東京生まれ。漫画家の父（今村つとむ）のアシスタントを務め、18歳で単行本デビュー。「マーガレット」（集英社）連載の『ハッスルゆうちゃん』で第6回講談社児童まんが賞。学習誌「小学一年生」で『ぺちゃこちゃん』他、作品多数。

ウノ・カマキリ（15・16ページ）：1946年愛知県生まれ。阿佐ヶ谷美術専門学校卒。日本漫画家協会賞優秀賞、オランダ・カーツーンフェスティバル2位など受賞。作品集『はちプラスむげんだい』『き』『どうくつ』など。

一峰大二（7ページ）：1935年東京生まれ。21歳で『なぞのからくり屋敷』で「少年」付録にてデビュー。『黒い秘密兵器』『電人アロー』『プロレス悪役物語』など様々なジャンルを手がけ、特に『ウルトラマン』『スペクトルマン』等TV作品の漫画化、20数本を描く。

クミタ・リュウ（12・29ページ）：1940年岐阜県生まれ。日本漫画家協会賞（大賞、優秀賞）、'77年モントリオール国際漫画展1位、'81年読売国際漫画大賞、'88年イギリス・ワディントン国際漫画展1位。東京新聞、朝日新聞、共同通信に政治・経済漫画を執筆。

黒田征太郎（34ページ）：1939年大阪府生まれ。'69年ワルシャワ国際ポスタービエンナーレ受賞。'85年講談社出版文化賞さしえ賞。'87年日本グラフィック展「1987年間作家賞」。'02年9月11日『風切る翼』（講談社）、'04年『凧になったお母さん』でピーボディー賞、他多数。

小森傑（9ページ）：1950年静岡県生まれ。日本テレビの番組「笑点」の「笑点カレンダー」のイラストなどを手がける。

タカハシコウコ（18ページ）：『手で見る学習絵本テルミ』など、視覚に障がいをもつ子どもを対象にした絵本の企画・編集・制作をしている。

武田京子（8ページ）：1940年大阪府池田市生まれ。'61年『あの波こえて』で雑誌デビュー。「りぼん」「週刊マーガレット」「セブンティーン」に描く。主な作品に『誰もわかってくれない』『さぼてんとマシュマロ』『命けずりぶし』『昔遊んだジョージ』。

花村えい子（46ページ）：埼玉県川越市出身。1959年、『紫の妖精』でデビュー。代表作に『霧のなかの少女』『花影の女』『花びらの塔』など。文芸・ミステリーが原作の作品も多く、現在も発表しつづけている。

バロン吉元（10ページ）：1940年満州奉天生まれ。武蔵野美術大学西洋画科中退。代表作『柔侠伝』。'76年少年画報社より優姿賞。龍まんじの名前で広く絵画活動。'91年二科展奨励賞、'97年東京展優秀賞、'03年日本出版美術家連盟賞大賞。

松村彬夫（19ページ）：1928年生まれ。戦後廃墟の東京で私設児童図書館活動、その後学習研究社に入社。幼児教育関係編集者・役員を経て、現在は水彩画家として活動。

森田拳次（36ページ）：1939年東京生まれ。7歳で舞鶴に引揚げ、東京に。'64年には『丸出だめ夫』で講談社児童まんが賞を受賞。『ロボタン』等ギャグ漫画を執筆。'70年ニューヨークに渡り、「LOOK」「ナショナルランプーン」誌に日本人として初登場。'14年「私の八月十五日の会」の活動で日本漫画家協会賞文部科学大臣賞受賞。

森本清彦（33ページ）：1935年兵庫県生まれ。月刊「Charlie」「le Fou」や、「アサヒグラフ」「週刊ポスト」連載の他、絵本や単行本などのイラストも多数。日本漫画家協会賞優秀賞、国際ユーモア・サロン特別賞、テヘラン国際絵本原画展金賞、他。

山根青鬼（31ページ）：1935年東京生まれ。'49年北日本少年新聞に『北日坊や』でデビュー。'50年田河水泡氏の門下生に。第8回日本漫画家協会賞優秀賞（'79）、第9回読売国際漫画大賞優秀賞（'88）等受賞。'89年『のらくろ』執筆権継承。代表作『名たんていカゲマン』他。

横山孝雄（27ページ）：1937年中国北京生まれ。'46年福島県に引揚げる。玩具会社勤務を経て、赤塚不二夫のアシスタントを務める。代表作に『旅立て荒野』『ぼくは戦争をみた』など。

■原画
牧美也子（表1）
赤塚不二夫（1ページ）
バロン吉元（表4）

■企画・編集・デザイン
こどもくらぶ
（中嶋舞子、大久保昌彦、木矢恵梨子、古川裕子、齊藤由佳子、長野絵莉、菊地隆宣、尾崎朗子、信太知美、矢野瑛子、吉澤光夫）

■協力
公益社団法人 日本漫画家協会、
一般財団法人 日本漫画事務局
　　　八月十五日の会、
ねぎし三平堂、
ちばてつやプロダクション、
特定非営利活動法人
　JHP・学校をつくる会、
セーラー万年筆（株）、
瞬報社写真印刷（株）

■音筆（おんぴつ）
8・15朗読・収録プロジェクト実行委員会は、収録した肉声を「音筆」というIT機器（非売品）に格納し、本とともに寄贈する。
プロジェクトサイト
http://www.imajinsha.co.jp/
s20pj/0815project_index.html

寄贈セット

①電源ボタンを長押しして、音筆の電源を入れます。

②ページ下端部のノンブル（ページ番号）の上をペンの先端でタッチすると、朗読音声が再生されます。

③音筆から朗読が再生されます。使用しないときは、電源ボタンを長押しして、電源を切ります。

私の八月十五日　③今語る八月十五日

2015年12月7日　第1刷発行

編	8・15朗読・収録プロジェクト実行委員会
発行者	稲葉茂勝
発行所	株式会社 今人舎　〒186-0001 東京都国立市北 1-7-23 TEL 042-575-8888　FAX 042-575-8886 nands@imajinsha.co.jp　http://www.imajinsha.co.jp
印刷・製本	瞬報社写真印刷株式会社

©2015　8・15 Roudoku・Shuroku Project Jikkou Iinkai　ISBN978-4-905530-48-0　NDC916　48P　304×207mm　Printed in Japan
価格は表紙カバーに印刷してあります。本書の無断複写（コピー）は、著作権法上での例外を除き禁止されています。落丁本・乱丁本はお取り替え致します。